U0483329

静电超人

9

大战蝇王

[加拿大]阿兰·M.贝杰隆 / 著

[加拿大]桑帕尔 / 绘

余 轶 / 译

天津出版传媒集团

新蕾出版社

图书在版编目（CIP）数据

大战蝇王 / (加) 阿兰·M.贝杰隆
(Alain M. Bergeron) 著；(加) 桑帕尔 (Sampar) 绘；
余轶译. -- 天津：新蕾出版社，2023.11
(静电超人；9)
ISBN 978-7-5307-7620-9

Ⅰ.①大… Ⅱ.①阿… ②桑… ③余… Ⅲ.①儿童故事-图画故事-加拿大-现代 Ⅳ.①I711.85

中国国家版本馆 CIP 数据核字(2023)第 147901 号

Original French title: Capitaine Static – Super Capitaine Static
Author: Alain M. Bergeron
Illustrated by: Sampar
Copyright © 2021, Editions Québec Amérique inc.
Simplified Chinese translation copyright © 2023 by New Buds Publishing House (Tianjin) Limited Company arranged through Wubenshu Children's Books Agency.
ALL RIGHTS RESERVED
津图登字：02-2022-086

书　　名	大战蝇王　DAZHAN YINGWANG
出版发行	天津出版传媒集团 新蕾出版社
	http://www.newbuds.com.cn
地　　址	天津市和平区西康路 35 号(300051)
出 版 人	马玉秀
电　　话	总编办 (022)23332422 发行部 (022)23332351　23332679
传　　真	(022)23332422
经　　销	全国新华书店
印　　刷	天津海顺印业包装有限公司
开　　本	889mm×1194mm　1/32
字　　数	40 千字
印　　张	2.25
版　　次	2023 年 11 月第 1 版　2023 年 11 月第 1 次印刷
定　　价	22.00 元

著作权所有，请勿擅用本书制作各类出版物，违者必究。
如发现印、装质量问题，影响阅读，请与本社发行部联系调换。
地址·天津市和平区西康路 35 号
电话：(022)23332677　邮编：300051

静电超人绝密档案

名字：查理·西马

真实身份：一名普通的小学四年级男孩

装备

- 尼龙材质的钢蓝色超人服
- 红色披风
- 红色眼罩
- 黄绿相间的羊毛拖鞋

超能力：静电攻击

粉丝团：电粉团

温馨提示
! 千万不要让静电超人碰衣物柔顺剂！！

超能力秘密来源：拖着脚走路

警告

谁摩擦,谁起电!

——静电超人的格言

序

"唉,真叫人难以忍受!"

这才上午,气温就飙升到30℃。

患有哮喘病、连脚趾都很胖的马朗嘉先生,最讨厌这种炎热潮湿的天气。

7月中旬的时光,让他分外难受,但他依然站在水果店门口接待顾客。他希望自己能好好干到打烊,更希望蔬果货架的冷却系统也一样。

在这种情况下,门口那块"请随手关门"的告示牌就显得格外有用。

嗡嗡嗡,嗡嗡嗡……

要说有什么东西比湿热的空气更令马朗嘉先生厌恶,那一定是苍蝇!它们发出烦人的噪声,把排泄物留在蔬果上,用口水四处传播疾病。

马朗嘉先生决不允许水果店有哪怕一只苍蝇!他立刻抓起苍蝇拍,准备消灭这个不速之客。这是一只散发着金属光泽的绿蝇,此刻正停在一个苹果上。马朗嘉先生必须出手利落,免得苍蝇死得太难看,他还得去清洗苹果。

马朗嘉先生自言自语地说:"我从不杀生,不过,苍蝇除外……"

他举起苍蝇拍,正要下手,却被一声叫喊吓了一跳。

"住手!"

他停止动作,转过头去。水果店门口有一个人,正朝他走来。来者中等身材,耸着肩膀,尽管天气炎热,仍穿一件深绿色长外套,头上的宽檐帽遮住脸。

"我们十分钟以后才开门营业。"马朗嘉先生不悦地对他说。

"你刚刚想要做什么?!"来者粗声粗气地质问。

马朗嘉先生怔住了。打苍蝇这种事情,难道还需要解释吗?

嗡嗡嗡,嗡嗡嗡……

马朗嘉先生瞥见那只绿蝇已经飞离苹果,径直朝穿长外套的男人飞去。

马朗嘉先生下意识地举起苍蝇拍,却惊讶地发现,这个人居然向门口后退了几步。

现在,马朗嘉先生距离这位神秘来客大约两米。神秘来客抬起头,马朗嘉先生看清了他的脸,吓得差点儿发出一声惊叫。与此同时,成千上万只绿蝇从神秘来客敞开的长外套里蜂拥而出,充斥了整个水果店。

嗡嗡嗡,嗡嗡嗡……

第1章

"你们快看天上！是鸟！是飞机！是超人！"

我特别喜欢这句台词，比"谁摩擦,谁起电"有趣多了！

入睡前,我坐在床上看超人漫画。超人是我最喜欢的超级英雄之一,他身强力壮,无所不能,眼睛能射出 X 射线,还能射出可以加热食物的光波。最了不起的是,他还会飞！

如同一只鸟,一架飞机。

他的红色披风在风中飘扬。

超人和我的共同之处是：我们的超人服颜色相同，都是红色和蓝色。但是，如果想要我的披风也在风中飘扬，那只能等风来，要不我就得跑得特别快。这样做不够拉风，也很有难度，因为我脚上穿着拖鞋……没办法，在地上摩擦双脚，就是我超能力静电流的主要来源。

每当想到这些，我就觉得自己永远无法与超人为伍。我难以望其项背，甚至都没有他所拥有的胸甲！

这太糟糕了！

我闭上眼睛，想象自己在城市上方，以飞翔的姿势巡逻，在关键时刻制止坏蛋的行为。一旦完成任务，我就会像火箭般冲向天空，重新上路。

啊，那种感觉该多好！

只有具备飞翔的超能力，我才是一名飞侠，一名真正的英雄，我还可以在自己的称号里加入"飞侠"二字，并把它印在超人服的纹章上。

我就是"静电超人飞侠"了！

到目前为止，我能做的就是向大乔及其团伙发射静电流。

我觉得自己太……太渺小……太窝囊了。大乔一定会用这些词来形容我。

我不过是这个街区的小英雄，我那所谓的"孤独城堡"，不过就是父母家里属于我的一个小房间……

等等，我今晚这是怎么了，为什么情绪如此低落？

振作一些，查理·西马！

我继续看漫画书。在这个故事中，超人要拯救一辆磁悬浮列车上的乘客。磁悬浮列车的操控系统出了故障，整辆列车不再受司机控制，无法正常驾驶。如果不采取紧急措施，这辆载有好几百人的列车即将车毁人亡……

对了！如果……

没错！

我突然特别兴奋！并非因为这辆还差几个漫画格就会出事的磁悬浮列车——因为我知道超人总会在最后一秒力挽狂澜。

我往前翻了几页，刚刚读得太快，我得再仔细读一遍。作者解释了磁悬浮的原理：创造出一个电磁场，使列车悬浮在空中，不与轨道接触。

换句话说，就是让列车飞起来！

磁场 = 静电 = 静电超人，也就是我！

如果我也能飞，人们一定会抬头看着天空，指着我说："你们快看天上！是鸟！是飞机！是**静电超人飞侠！**"

快！我得给我的天才好友范·德·格拉夫打个电话。

哪怕现在是晚上。

哪怕他可能已经睡着了。

毕竟事关紧要啊……

人们常说，天才是不睡觉的。

这是假的！ 我给范·德·格拉夫打电话的时候，他们全家都睡得正香。他的爸爸在电话铃响到第八声时终于接听。我是一个超级英雄，又遇到紧急情况的这一事实，并不能让他的烦躁情绪有所缓解。他的儿子听到动静，赶紧拿起分机前来援救我，有气无力地对我说："我正梦见自己跟爱因斯坦探讨学术问题呢。唉！真希望能回到梦里继续与他谈谈。"

范·德·格拉夫从什么时候开始对曲棍球感兴趣了？甚

至会在梦里与曲棍球运动员相谈甚欢？范·德·格拉夫告诉我，爱因斯坦不是什么曲棍球运动员，而是一位聪明绝顶的天才人物。随便吧……我向他解释了打电话的原因。电话那头有"嗯……嗯"的声音，他到底是在思考还是睡着了？

嗡嗡嗡，嗡嗡嗡……

我的房间偏偏在这个时候进了苍蝇。虽然看不见，但我可以听见它的声音。它是从哪里飞进来的？等我找到它，一定给它来点儿静电尝尝！

我知道了，查理。让我想想，回头我再联系你。

然后，我的朋友就挂断电话，重新去找他的爱因斯坦了。他还没告诉我，到底能不能做一套助我飞翔的服装呢！

嗡嗡嗡，嗡嗡嗡……

不，我不是说像苍蝇那样飞！

是像超人那样飞！

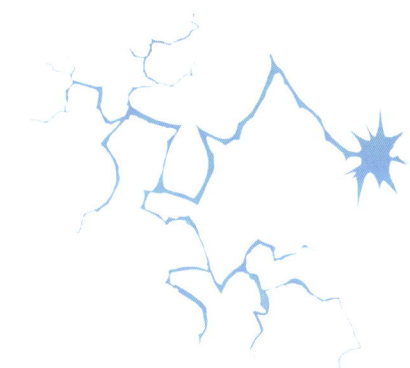

第 2 章

太可怕了!

昨晚我做了一个噩梦,梦见我像超人一样,在天上飞得好好的,却突然遭遇电力故障,径直下坠。

直到落地前的最后一秒,我才从梦中惊醒。

那种从天上掉下来的眩晕感,仿佛还留在我的胃里。但愿这个梦不是某种征兆,也不会在现实生活中发生——至少"电力故障"和"从天而坠"的情节不要发生。

在我致电范·德·格拉夫几天以后,他给我回电话了。他邀请我去他家一趟。他爸妈在地下室为他搭建了一个私人实验室。

对了,他有早起的习惯。

我飞快吃完早餐,骑车往范·德·格拉夫家赶。他家离我家有几条街的距离。

路上,我遇见了罗埃尔夫人的宠物猫牛顿三世,它正忙着追赶一只松鼠。

我还见到了大乔,他牵着安吉利库的大丹犬道妮尔散步。不过,与其说他在遛狗,不如说狗在遛他。

我对大丹犬的狂吠和大乔的咒骂置若罔闻,只顾蹬车向前,享受迎面吹来的风。

在一段下坡路,我停止蹬车,周身放松,沉醉在速度带来的眩晕之中。这种感觉就像在……飞翔!我真应该穿着超人服来,这样我的披风就可以迎风飘扬了!

是范·德·格拉夫给我开的门。他满脸倦容,像是一连几天都没睡好。

"你失眠了?"

"不,天才工作起来都这样。"他打着哈欠回答。

尽管他面露疲态,但镜片后的两只眼睛却在放光,似乎他下了不少功夫,终于取得令人满意的结果。

到底是怎样的结果呢?

房间里传来一声呼唤,是他爸爸的声音:"孩子们!把门关好!有苍蝇!"

我们走进屋。范·德·格拉夫领着我,轻手轻脚地朝地下室走去。他解释说,由于最近他没日没夜地赶工,制造出不少噪声,他爸妈都没有睡好,现在正在补觉。

我为此心生愧疚……三秒钟。还好我引起的不是全国性灾难。当我看到范·德·格拉夫为我制造的新装时,我的愧疚感彻底消失了。

这套衣服就挂在实验室中央的衣架上,我简直无法移开目光——这才是一套真正的超人服!

"红色超人裤!"我兴奋地欢呼。

"其实就是红色小内裤。"范·德·格拉夫纠正道。

他在超人服的纹章上加了一个"S",表示"静电超人飞侠"。我想:当超人还小的时候,他的超人服也是这样吧!

这时,我发现了另一个惊喜:

"你还给我做了胸甲!"

"没错,"范·德·格拉夫笑着说,"为了增加一点儿梦幻元素……"我用拳头捶了捶胸甲。"哐当!哐当!"胸甲是铁质的!

范·德·格拉夫跟我一样兴奋。突然,我心生疑虑。

> 好看是好看,能飞吗?

他对这个提问似乎早有准备。

"我来解释一下。"

我的天才好友说,超人服采用一种可以储存静电的材料制成,能创造出一个强大的磁场,像垫子一般将我悬空托起。

"只要加以练习,你就可以飞翔,像一只鸟、一架飞机……"

我迫不及待地喊:"……像一个超人!"

"别吵!"楼上房间传来一声叫喊。

"你爸爸生气了。"我小声说。

"那是我妈妈。"范·德·格拉夫纠正道。

啊?!随便吧。我难以抑制自己的兴奋之情。范·德·格拉夫从衣架上取下超人服,递给我:"穿上吧,查理。见证奇迹的时刻到了!"

第3章

　　我依然记得我在妈妈的陪伴下第一次骑自行车的情形。骑车的关键在于找到平衡点。那时我不知摔了多少跤，擦破几次皮，最终还是靠在后轮加装两个小轮来辅助训练。这令我很难堪，被当时还是"小乔"的大乔狠狠取笑了一番。

　　我花了一天时间，终于学会了骑自行车。现在，身穿新超人服、学习飞翔的我，仿佛又回到了当年。只不过，这次我无法再依靠辅助轮，眼下也没有超人可以给我做示范。

　　看样子，又少不了一轮犯错和跌倒，我的身体和自尊心又得经受一番折磨，就像当初学骑车时那样。

　　我很喜欢这套新超人服。它质地轻盈，像拖鞋一样便于穿脱。当然，我脚上已经有一双拖鞋了。那是外婆为我编织的黄绿相间的羊毛拖鞋，既是我的"个人名片"，也是我的能量来源，范·德·格拉夫觉得没必要把这双拖鞋给换掉。

再说，拖鞋还可以作为我的飞行助推器，为我提供足够的静电。要是有人问我是如何飞起来的，答案既复杂又简单：我能用意念控制静电发射，就能用意念控制空中飞行。

唯一的问题在于如何找到平衡点。

范·德·格拉夫对我重复了不下一千遍：这套新超人服能摄取我身体产生的静电流，将它转化为磁性"气垫"。至于具体过程，我一点儿也没听明白。没关系，反正我朋友拍着胸脯说行得通。

好吧，第一次试飞，我采取的是站立式。结果，我被自

> 别多想，飞就对了！对你而言，飞行就像走路一样简单。

己腾空的事实吓了一大跳,失去平衡,跌落在地,四脚朝天。

难道静电超人飞侠帅不过三秒?幸亏没被大乔看见……

范·德·格拉夫如同一个教小弟弟骑单车的大哥哥,对我无比耐心。

我摔了一次又一次,每次试飞都以失败告终。

超人刚开始学飞的时候也这样吗?或者他天生就会飞?超人不可战胜,而我却经常失败,承受着肉体的伤痛和心灵的打击。

这就是我与超人之间的差距。

不知过了多久,我觉得自己快没电了。

范·德·格拉夫同意我的想法。他在我左手腕上戴了一个电量显示器,满电时有四个绿色的格子,电量下降时,格子就会一个接一个消失。

现在,我的电量只剩下一格。

"查理,该充电了。"范·德·格拉夫建议。

我照他说的做,四个格子很快又发出绿色亮光。训练继续!

现在,我从站立式飞行变为俯卧式飞行。

没错,这种姿势更帅气,但也更难掌握。我那蹩脚的飞行仅仅持续了几秒钟,飞行距离不足一米。就连一架纸飞机也比我飞得久、飞得远。从飞行姿势来看,优雅程度也远不及一只蝴蝶……

我对范·德·格拉夫说:

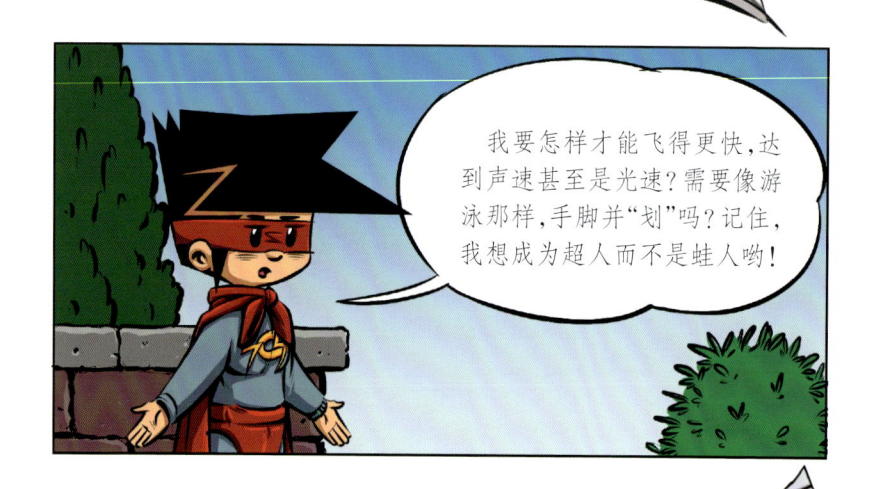

> 我要怎样才能飞得更快,达到声速甚至是光速?需要像游泳那样,手脚并"划"吗?记住,我想成为超人而不是蛙人哟!

范·德·格拉夫盯着我的双眼说:

"别胡思乱想了!"

我只好继续练习。一个小时过后,我有一种不祥的感觉:尽管我非常努力,却没有取得任何进步,反而退步了!我开始怀疑这套超人服有问题。这让范·德·格拉夫大为不悦。

为了放松心情,我们打算骑车去城里兜风二十分钟。

我换上普通衣服,免得招来路人好奇的目光。

你想,一个身穿超人服,脚穿拖鞋,骑着自行车的男孩,该有多打眼!

我们来到城市的最高处。天气湿热,一阵疲劳感向我袭来。学飞真是一件既耗费体力又耗费心力的事情。

范·德·格拉夫让我重新换上超人服,带我来到一处陡峭的悬崖边。整座城市都在我们脚下,景色十分优美。

他查看了一下我的电量,依然是满格。然后,他把手搭在我的肩膀上,语重心长地说:"查理,你知道吗,如果鸟妈妈认为鸟宝宝已经可以自己飞翔了,就会把它推出鸟巢……"

是这样吗?他想表达什么?

"祝你飞行愉快!"他只简单说了一句。

然后就把我推下了悬崖!

第 4 章

我被所谓的朋友范·德·格拉夫推下了悬崖,如巨石般坠落!

下坠的过程令人眩晕,我的胃里翻江倒海。再过几秒钟,我就会撞击地面,成为一段回忆。亏我还想成为**静电超人飞侠**呢,却落得如此下场……

突然,我的脑海中闪过一道亮光。

事实再清楚不过了!

我忍不住笑出声来。

我显然是在做梦嘛!一定错不了!范·德·格拉夫是不可能在一周之内为我做出一件新超人服的!

既然是在做梦,就没什么不可以的。哪怕是在高空翱翔!

地面向我逼近,眼看我就会撞上坚硬的岩石地面。

就是现在!我要成为梦境的主宰者!在距离地面几米时,我向前伸展双臂,以风一般的速度向上飞起,避免了一场灾难性的撞击。

多么美妙的感觉!

我径直飞向云端。下方传来范·德·格拉夫的呼声:"你们快看天上!是鸟!是飞机!是超人!不,是静电超人飞侠!"

我得意扬扬地朝他挥了挥手,又在空中像陀螺般转了一圈。温热的风吹动我的头发,红色披风在风中呼呼作响。

啊!此刻的我一定特别酷!

我可以轻轻松松地飞去任何我想去的地方,还可以瞬间改变方向,速度快到连我自己都睁不开眼。

范·德·格拉夫把手拢成喇叭状,唤我回去。我转过身体,想要尽量轻巧地降落。只可惜,本次着陆太仓促,我一连翻滚了好几下,才趴在地上,停了下来。披风罩住了我的头。

我知道,美梦到这里就要结束了。罩在我头上的并不是披风,而是被子;我一定正躺在床上,眼中的亮光预示着白天的到来。

这样的结局真令人沮丧。我想努力留住梦中飞翔的美妙感受,可美梦总会在醒时结束,并渐渐被时间冲淡。但愿范·德·格拉夫真做出了一件能助我飞翔的新超人服,好让我成为真正的"静电超人飞侠",而不是像现在这样,只是普通男孩查理·西马。

"你还好吗,查理?"有人在对我说话。

我一时认不出这个声音。它既不属于我妈妈,也不属于我姐姐……

有一只手揭开了我头上的披风。

是范·德·格拉夫!

我们一直都在下城区的空地上。自行车就停在不远处。罩在我头上的是我的披风,而不是我以为的被子。我背上就有"静电超人飞侠"几个字!

"是你?你来我梦里做什么?"我惊讶地问范·德·格拉夫。

他被我问得莫名其妙,好像我刚刚问的是"地球是不是平的"。

"看来你摔得比我想象的更严重。"他悲伤地说。

范·德·格拉夫扶我站起。我能感受到他放在我肩

膀上的双手,以及这潮湿闷热的空气。一切看来都是如此……真实!

我看到自己手上有擦伤,还挺疼的。右脚踝应该是在狼狈着陆时受了伤。

我全身都很疼,走起路来一瘸一拐的。

"看你飞翔的感觉真棒,静电超人飞侠!不过,着陆动作还需加强训练。"范·德·格拉夫说。

太阳西下,我们骑上自行车往回走。

"范·德·格拉夫,你还是第一次出现在我梦里呢,而且这个梦特别持久……"

范·德·格拉夫在我胳膊上掐了一下。

"哎哟!"

"你瞧,你并不是在做梦!"他笑着说。

我的大脑开始飞速运转。

照理说,疼痛感会令我苏醒。我的内心突然激动万分——我真的会飞了!新超人服起作用了!我变成了名副其实的"静电超人飞侠"!

"你做到了,范·德·格拉夫!"我兴奋地对他说,"你做到了!我会飞了!"

我高兴得像个过圣诞节的孩子,围着范·德·格拉夫欢呼雀跃。

然后，我想起一段记忆。

"喂！"我故意用生气的口吻说，"你刚刚把我推下了悬崖，害我差点儿摔死！"

范·德·格拉夫漫不经心地耸耸肩："鸟儿总有一天要离巢……"

第5章

我内心狂喜,感觉整个人轻飘飘的,努力抑制想要飞回家的冲动。

我总不能让范·德·格拉夫一人骑两辆自行车回家吧!于是,我脱下了新超人服。

一到家,我便冲进家门,想要立刻告诉妈妈我学会了飞,还想给她展示我的胸甲。

咦?妈妈就坐在厨房里的餐桌旁,满面愁容。发生什么事了?

"查理,你把门关紧了没有?"妈妈问我。

这真是一句"温暖"的问候。我原本期待"你刚刚去哪儿了"之类关切的询问。

"请你再去确认一下门是不是关紧了!"妈妈的话语中明显透着紧张。

门关没关不是什么大事,我还有更重要的事情要说呢!见我无动于衷,妈妈的目光瞬间变得十分严厉,声调也提高了八度:

"快去关门!"

好吧……我只好转过身去,确认门是否关好。门关得死死的。我这才来到妈妈和姐姐身边。

"我不想家里飞入哪怕一只苍蝇!"妈妈激动地说。

我用迷惑的目光看了姐姐一眼。

"妈妈今天在商店被苍蝇袭击了。"

我听糊涂了。

"苍蝇?妈妈,你不是常说'简单得就像打死一只苍蝇'吗?苍蝇有什么好怕的?"我用不屑的语气安慰她。

严重失误!妈妈一挥手,打断了我的话。

"查理,不是一只苍蝇,而是成千上万只大绿蝇!"她更加激动了。

妈妈脸色苍白,开始讲述中午的遭遇:一个戴着宽檐帽的陌生人来到妈妈工作的商店,然后敞开深绿色的长外套,放出一大群绿蝇。绿蝇纷纷冲向水果、蔬菜和肉类,店里的工作人员和顾客都未能幸免。

"店里乱成一片!"妈妈紧张兮兮地回忆,"大家被淹没在绿蝇的海洋中。它们折磨我们,专往我们的嘴巴、鼻孔、耳朵里钻,而且……"

妈妈痛苦地摇头,仿佛要把这段可怕的回忆从脑海中驱逐出去。

"它们发出巨大的嗡嗡声……"

我感到惭愧。当我度过梦幻般的下午时,妈妈却在经历难以想象的痛苦。

> 五分钟后,陌生人和"绿蝇云团"都消失不见了。店里的食物全被绿蝇的粪便和口水污染,惨不忍睹,我们只好把它们统统扔掉。

对于店老板而言,这无疑是一场灾难,直接经济损失高达几千美元。

"警察展开调查,"妈妈继续说,"本周以内,已经发生了三起类似事件。首个受害店铺是马朗嘉先生的水果店,他不得不关门停业。太可怕了!"

在短期内多次发生,这绝不可能是偶然事件。

苍蝇通常不会袭击商店,至少不会成千上万地结队来袭。那个穿深绿色长外套的男人到底是谁?他是不是罪魁祸首呢?

我要像超人那样说一句:"这事就交给我静电超人飞侠吧!"

傍晚,天色依旧清亮,空气依旧炎热。

眼下,还不是我向妈妈和姐姐展示新超能力的时候。我不动声色地换上新超人服,来到房屋后面。我得……放轻松,不要多想,只要自然而然地起飞,就像在"梦里"那样。

我在蹦床的垫子上摩擦双脚,给自己充电。

噼啪!噼啪!噼啪!

手腕上的电量显示器有四个绿色满格。我站在蹦床的金属边沿上,想象有一架飞机停在跑道一端,等候起飞指令。

没关系,就算跌落,这里也不算太高。我开始起飞……然后挂在三米开外一棵大树的树枝上。

哎哟喂!

这太尴尬了!但愿没被人看见……

"喂!静电超人!"弗雷德在附近的一个泳池里问我,"你怎么到树上去了?"

弗雷德是佩内洛普的弟弟,佩内洛普是我们班的班花。弗雷德也是我的头号粉丝。

> 哇!你有一件新超人服?还有胸甲?

"好眼力,弗雷德。"我问候过他,重新起飞。
"你们快看天上!"一个孩子喊道。
"是鸟!"另一个孩子说。
"是飞机!"这是一个小女孩的声音。
"不!是静电超人飞侠!"弗雷德大喊。
我自信地升到街区上空,开始执行我有生以来的第一次飞行巡逻任务。

第 6 章

在这次飞行中,我会经历哪些冒险呢?

从燃烧的汽车里救出一名儿童?阻止一颗陨石的坠落从而拯救整座城市?将一架发动机故障的飞机平安送回机场?

从我的飞行高度看,目前一切正常。两个躺在屋顶上的少年看见我,立马掏出手机给我录像。

我允许自己来点儿小幻想,不停地前后飞、转圈飞、滚着飞,直到把自己转晕。

不过,我突然想到,超人飞行时是不会搞笑的,我还是严肃一点儿吧……

渐渐地,我产生了几个疑问:我的"续航能力"如何?能扮演空中飞人多长时间?几分钟?几小时?我真应该先找范·德·格拉夫了解一下。

他之前一定交代过,但我完全忘了这些细节。现在我得时刻留意电量显示器。

"我的小猫!我的小猫!"

一个尖细的呼声吸引了我的注意力。

有个小女孩站在大树下哭泣。我降落到她身边。

"噢!是彼得·潘!"她看到我,擦干脸上的泪水,惊喜地说。

小女孩名叫戴尔芬,她那一双绿色的眼睛在镜片后闪闪发亮。她身穿花裙子,模样十分可爱。

我告诉她,我并不是彼得·潘,但很愿意帮助她。于是,她指着高高的树对我说:"我的小猫!它困在树上,下不来了。"

我双手叉腰,对她说:"没问题,我去帮你把它抱下来。"

"谢谢你,彼得·潘!"

这……好吧……我飞向那只黑色的肥猫。它看到我并不高兴,把背拱得老高,竖着全身的毛。我试着让它放松,可它对我又抓又挠。

我想出一个主意。

我重新飞回地面,来到戴尔芬身边。

"我的小猫呢,彼得·潘?"

我拍了拍胸脯。

哐当,哐当。

"彼得·潘没有胸甲。你看,我是静电超人飞侠。"

"这个名字太长了,彼得·潘。"

我向她伸出双臂。

"你的小猫不愿意跟我走。我猜它一定很害怕。你愿意跟我一起去接它吗?"

她眨了眨眼睛。

"可我不会飞呀!你有仙女的魔法粉吗?"

"不需要魔法粉。"我告诉她。

她抱住我的脖子,我把她带到黑猫身边。小猫见到戴尔芬,发出乖巧的哼哼声。戴尔芬伸出手,将小猫揽入怀中。

"到我这里来,维尼。"

我们重新回到地面。

"谢谢你,彼得·潘。你要回你的梦幻岛吗?"

我向上一跃,冲戴尔芬挥挥手,继续空中巡逻。街区与平时大不相同。

我凭借地标导航:学校、公园、自行车道、图书馆。我曾步行或坐汽车在这些地标之间穿行过无数遍,但用飞行的方式还是头一遭。

我想停在学校的屋顶上,那是整个街区的最高处。在距离目的地约一百米时,我突然听到一阵声音。

嗡嗡嗡,嗡嗡嗡。

声音越来越大,越靠越近。

嗡嗡嗡,嗡嗡嗡。

对了！一定是"绿蝇云团"来了！

我听得出来，再过几秒钟它就能赶上我。可是，尽管我转向不同方向，却始终没有看见它。

我的头上突然飞过一台无人机。又一台无人机直接冲向我的胸腹，害我差点儿背过气去。第三台无人机擦过我的肩膀。

这根本就不是什么苍蝇！向我发起进攻的明明是无人机。

在我身下约十米处，就是学校的操场。大乔一伙正站在操场上哈哈大笑。

"狗熊超人，你以为你是美国队长啊？"大乔挑衅地喊。

"是超人！"他的同伙纠正道。

"我知道！"大乔生气地回敬。

原来就是他们在操控无人机，故意捉弄我。当我躲过第一台无人机，第二台无人机就会趁我分神时撞上我的背部，第三台则撞上我的胸甲——哐当！

还好我的胸甲够结实。

我一定要动起来，悬浮在空中太容易被击中。我倒要看看这些无人机有多灵活！

霎时间，我俯冲直下。

三台无人机紧随在我身后，像是粘在我的披风上。距离地面一米时，我改变路线，突然升空，水平飞行。一台无人机撞在体育器材上，当场碎裂。大乔一伙中的一员发出惨叫声。

现在只剩下两台无人机了。我一个急转弯，飞向反方向。两台无人机仍然紧追不舍。我瞥见左侧有一片树林，于是以"之"字形灵活穿梭于粗壮的树干间。又一台无人机撞在一棵矮树上。

我如箭一般直冲向上。

在我的脚旁，跟着最后一台无人机——那也是最大的一台，属于大乔。此刻，大乔正站在操场上，身边的三个跟班在为他鼓劲。

我朝他们俯冲过去。

大乔明白了我的意图，不再嬉笑，想要操控无人机的遥控器。但恐惧最终占了上风，大乔一把扔掉遥控器，抱头鼠窜。

失控的无人机疯狂向前。大乔一不小心摔倒在地，连同他的两个同伙一齐倒在扬起的尘埃里。

嗡嗡嗡，嗡嗡嗡。

我在距离他们几米开外的地方着陆，拉开披风，摆出斗牛士的姿势。那台无人机就是我要斗的"牛"。一秒钟后，我收好披风。大乔的无人机在主人身边落地，摔断了马达和螺旋桨。

如果弗雷德在场的话，一定会说："喂，大乔！谁摩擦，谁起电！"

这样一来，我就可以射出一股静电流，以示警告：静电超人飞侠可不是好惹的！

事情还没结束。

嗡嗡嗡，嗡嗡嗡。

又来了一台无人机？我不是把对手的无人机都消灭了吗？

大乔一伙抬起头来。然后，他们惊恐地瞪大眼睛，头也不回地逃离操场。

我也扭头向后望。

我倒希望来的是一台无人机,甚至是受大乔操控的十台无人机!

不。向我滚滚而来的,是一团金属绿的云……

第 7 章

嗡嗡嗡，嗡嗡嗡。

云团由绿蝇组成，足有一座房子那么大，如同受到遥控，径直向我冲来。

我来不及做出反应，就已经淹没在这可怕的"波涛汹涌"的绿蝇海洋中。

妈妈曾形象地描述过她在商店里遭遇绿蝇攻击的经历。与她所描述的一样，此刻，绿蝇就"叮"在我身上，不仅阻挡了我的视线，还不停地往我的鼻孔、嘴巴、耳朵里钻。

我无法再忍受哪怕一秒。我试着挥去自己的恐惧感和恶心感，想用披风挡一挡，但是没用。绿蝇能找到最小的缝隙，想方设法地挤进来，变本加厉地折磨我。现在，我从头到脚都被绿蝇覆盖。

太恐怖了！

当我对付大乔和无人机时，我飞在离地几米的空中。而现在，在绿蝇的包围下，我只能站在地上，也许阻止我飞行就是这些绿蝇的目的。

有那么一瞬间，我后悔自己不是蜘蛛侠，无法用结网的办法对付这些绿蝇。

濒临崩溃的我,努力向上飞起一米,开始在空中旋转。我越转越快,像一只陀螺。

旋转带来的风暂时驱逐了"绿蝇云团",但一直这样转下去也不是个办法。

突然,我想到了一个好计策。

在厚重、嘈杂的"绿蝇云团"的包围下,我旋转着在空中杀出一条路,尽量与绿蝇拉开距离。人果然会急中生智啊!

又过了几秒钟,可怕的嗡嗡嗡声离我远去。

我转过身,发现成千上万只绿蝇全部围在一个轮廓不清的人身上,学校操场上就剩下他了。

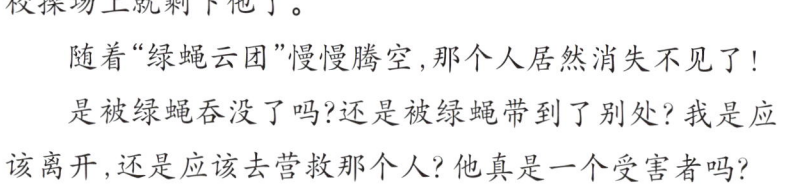

随着"绿蝇云团"慢慢腾空,那个人居然消失不见了!

是被绿蝇吞没了吗?还是被绿蝇带到了别处?我是应该离开,还是应该去营救那个人?他真是一个受害者吗?

谜团重重……

我手腕上的电量显示器只剩下最后一格电,提示我该回家了。我刚刚飞了多久?

我开始"电力不支"。

我气喘吁吁地回到家,模样十分狼狈。

刚踏进家门,姐姐就发现我不对劲:"查理,你该不会也……你看起来就像一辆刚刚穿过'苍蝇云海'的汽车的前车窗。"

我下意识地向天空看了一眼。

有那么一会儿,我甚至担心绿蝇会一直跟我飞进家里。好在视线范围内没有危险信号。太阳已经落山,几颗星星在夜空中闪闪发光。

"你的新超人服看起来不错嘛。"姐姐赞叹道,"居然还有胸甲!"

她在我的胸甲上敲了敲——哐当,哐当!

我一头冲进房间,换下新超人服。然后,我给范·德·格拉夫打电话,询问新超人服应该手洗还是机洗(我暗自期待它能机洗)。

超人服肯定不能进烘干机,这一点我还是知道的,不然它会变小,变得更适合弗雷德而不是我。

在我的邀请下,范·德·格拉夫来到我家。我们在客厅讨论刚刚发生的事情。

"你应该使用静电攻击无人机,查理。"范·德·格拉夫提醒道。

"那样的话,我就没有足够的电量飞起来对付绿蝇了……"

巧的是,电视上开始播放新闻报道,讲的是一家蔬菜店遭遇上千只绿蝇的袭击。

"绿蝇把蔬菜全部弄脏了!真是糟蹋食物!"

记者提醒观众,接下来的画面可能引起不适。

"我们调取了蔬菜店的监控视频。"他解释说。

姐姐也被这则报道吸引,坐到我身边。

"千万别让妈妈看到。"

对我而言,这无异于重温噩梦。电视画面里,透过厚重的"绿蝇云团",蔬菜店的轮廓难以辨识。令人心烦、持续不断的嗡嗡嗡声中,夹杂着受害者的惊叫。

突然,我大喊:"看那儿!"

我指向电视画面中的一个人形。

那人穿着长外套,正在缓慢移动。尽管绿蝇围着他旋转,但是他好像并不受绿蝇的影响。宽大的帽檐遮住了他的脸,但他抬起了头。

"哕!真恶心!"姐姐说,"这是什么玩意儿?"

"刚刚他也出现在学校操场上!"我激动地说。

这个与人一般高的生物,长有两只圆鼓鼓的黑眼睛,嘴像一截向外支棱着的树枝。他那敞开的长外套下,两只巨大的翅膀在不停地扇动。

嘈杂声中,响起他那粗哑的嗓音:

"**我乖巧的绿蝇们肚子饿了。你们的主宰者慕斯卡允许你们开餐!**"

"有意思。"范·德·格拉夫吹响口哨儿。

"不!"我姐姐反驳——我同意她的看法,"多么恶心的面具!"

她摆出一副作呕的表情,起身躲进自己的房间。

接下来,监视器的镜头完全被绿蝇留下的污物弄脏,画面一片模糊,什么都看不见了。

新闻报道的背景切换到城郊的垃圾站,记者继续报道:"多重原因导致此地绿蝇盛行。市长多朗·麦克飞先生特意澄清,所谓的'绿蝇攻击'是被媒体过分渲染,其实只是个小问题。"

记者在镜头前出示了两件物品。

"为了让民众放心,市长今天已经派人给每家每户分发了苍蝇拍和悬挂式粘蝇带。"

记者叹了一口气,把内心想说的话咽回肚子里,接着播报下一条新闻。

"让我们继续播报一条新闻:今天傍晚,有人在城市上空发现不明飞行物。几位目击者说,不明飞行物呈长条状,很安静,颜色鲜艳。有热心群众为我们提供了一段不明飞行物的视频。"

我放声大笑。

"喂!那个不明飞行物,不就是你吗?"

"不明飞行物出现后不久,又发生了一起绿蝇袭击事件,两者之间是否有关联呢?"

记者又一次查看播报笔记。

"最后,让我们来听一则好消息:一只猫受困枝头,解救它的并非消防人员,而是……彼得·潘!一个小姑娘这样开心地告诉我们。"

我从电视屏幕上认出了戴尔芬,她怀里还抱着那只名叫维尼的黑猫。

"喂,我就是那个'彼得·潘'!"

电视新闻结束。

范·德·格拉夫开始在他的平板电脑上忙碌起来。

"找到了！查理,这就是你的对手:蝇王——慕斯卡!"

第8章

暑假的好处之一,是可以随时开始空中巡逻。如果是在上学期间,周一到周五我很难找到空闲时间。哪怕我已经是**静电超人飞侠**了,还是得继续上学。

一大早,太阳已经火辣辣的了。看来今天又是炎热的一天。

我准备八点出门,因为慕斯卡和"绿蝇云团"早上又发起了一次进攻。

范·德·格拉夫向我解释过慕斯卡的身份:他是拉丁美洲神话中的人物,支配着几百万只苍蝇。肇事者到底是不是他呢?我还无法确定。但有一件事是肯定的:那个自称"主宰者"的人,现在侵扰了我的城市的居民。

我必须解决这个问题!

好在我有一件利器在手:范·德·格拉夫发明的冷冻射线枪。它可以冻结苍蝇,让我腾出手去制服它们的大王。

以防万一,我的天才朋友建议我慎用静电作为武器,以免影响飞行。正因为我必须节省电量,他才为我配备了冷冻射线枪。

我来到房屋后面,站在蹦床上,做好起飞准备。这时,有人迈着坚定的步伐向我走来——是我的头号粉丝弗雷德。

静电超人飞侠,
你要去迎战绿蝇怪兽,对吗?

他递给我……一个苍蝇拍和一截粘蝇带。

"这可以当你的作战武器。再怎么说,那不过是只绿蝇……"

"一只大绿蝇。"我说。

"大绿蝇也是苍蝇。"弗雷德强调。

我接过他递来的礼物,感谢他的热心之举。我把这两样东西放进披风的内口袋,那里还装着范·德·格拉夫准备的冷冻射线枪——他真是虑事周全。

我请弗雷德稍微退后,然后开始用力在蹦床垫子上摩擦双脚,为自己充电。

噼啪!噼啪!噼啪!

我感到磁场把我包围。电量显示器上的四个绿格显示充电完毕。

为了给我的行动增添一丝乐趣,我特意在蹦床上跳了一下,趁势起飞。弗雷德大喊:

"静电超人飞侠,祝你好运,打败大绿蝇!"

我飞到足够高,俯瞰大地,时不时回过头,确保后方安全。下次我要记得让范·德·格拉夫给我装两个后视镜……

我无需全速前进,所以还有时间摘下一只缠在枝头的风筝。"不用谢,查理·布朗!"

更远处,我看见了一个熟悉的可爱身影。

"你好,彼得·潘!"戴尔芬大喊着,怀中还抱着她的黑猫。

我继续巡逻。一条条街道出现在我眼前。我集中精神,

53

寻找目标——公共集市。那里有户外蔬果货架,超人的直觉告诉我,慕斯卡及"绿蝇云团"会来到这个他们尚未"光顾"的场所。

我在公共集市上方盘旋了几圈。我本想秘密出行,但事与愿违。

"你们快看天上!"有人喊道。

"是鸟!"

"是飞机!"

"是不明飞行物!"

"是骑扫帚的哈利·波特!"

公共集市的停车场很快聚集了一群人。他们盯着我看,给我录像、拍照。我处于逆光位置,轮廓一定不会清晰。要不,我飞下去让他们欣赏欣赏静电超人飞侠的服装和胸甲?

看来不行……

远处出现了一个穿深绿色长外套、头戴宽檐帽的身影。帽子底下一定藏着一张恐怖的脸。

嗡嗡嗡,嗡嗡嗡……

说时迟那时快!他派遣"绿蝇云团"飞向户外货架,在集市客流中掀起一片混乱。那些拿篷布遮挡蔬果的商户惊讶地发现，绿蝇居然会团体作战，一些绿蝇抬起篷布，扔向人群，另一些绿蝇则趁机大快朵颐。

我从远处向慕斯卡发射了一道静电流。这样至少能转移他的注意力。

噼啪！

他很快察觉到情况不对。

他的双翅在外套下不停地扇动，命令"绿蝇云团"向我冲来。

嗡嗡嗡，嗡嗡嗡……

人群中有人惊叫，既因这千万只绿蝇而害怕，又因有我在场而庆幸。看！大乔和他妈妈也在集市上。他向我咒骂了几句……真是人类大团结呀！

我停留在离地几米的空中，想要立刻从披风的内口袋掏出……苍蝇拍。不，再等等。先把冷冻射线枪掏出来试试。

千万只绿蝇向我冲来。

是我的错觉，还是它们确实比上次攻击我时数量更多？

我举枪发射，绿蝇立刻被冻僵，纷纷跌落在地。

停车场很快铺了一条令人作呕的金属绿"地毯"……我看见大乔忙着吐口水，应该是不小心吞了几只绿蝇——

看他下次还敢不敢在下"苍蝇雨"时冲我大喊大叫!

大部分绿蝇被放倒了,我径直朝慕斯卡飞去。现在,我们都双脚着地。他的身高与大乔相仿,双肩耸立着。

"你对我的宝贝绿蝇做了什么?!"他挥动双臂,用沙哑的嗓音质问我。

"我让它们凉快凉快,这对它们有好处,慕斯卡。"

他跪在地上,用手捧起一些僵硬的绿蝇,夸张地哭起来。

"它们不该受罪!"他哀怨地说,"它们是如此脆弱,又是如此美丽……它们只是想活下去而已……"

我才不会为几只冻僵的绿蝇伤感呢!我恨不得举起枪,让绿蝇的主人也冷静冷静。

这时,警车赶到。一男一女两名警察从警车上跳下来,想要逮捕这个不知从哪里冒出来的怪物。

嗡嗡嗡……

这是什么声音?

嗡嗡嗡……

声音越来越响亮。

嗡嗡嗡……

我忘了一个细节——有时,人们认为在窗外躺了一个冬天、可能早就死了的苍蝇,会在春日暖阳的照射下苏醒!范·德·格拉夫向我解释过其中的原因,但我完全没听懂。

眼下,这样的情况正在发生。刚刚被冷冻射线枪放倒的绿蝇,全部苏醒了过来,再次发出嘈杂的声响!

那条恶心的"绿地毯"开始蠕动,而后变成云团再一次腾起。这突如其来的状况让我惊呆了,慕斯卡趁机攻击我的手腕,冷冻射线枪从我手里飞了出去。

现在,慕斯卡占了上风。他指挥"绿蝇云团"再次扑向我,我根本无法拾起地上的武器。

> 哈哈哈!活该,胸甲超人!

是大乔!

千万只绿蝇"叮"在我身上。我缩成一团,藏进披风里。我当然可以击破这道"绿蝇围墙",但所剩电量不多,还要省下来制服慕斯卡。

嗡嗡嗡,嗡嗡嗡。

在绝望的边缘,我聚集全部静电,瞬间发射出去,静电流像一个巨大的泡泡突然炸裂。

噼啪!

绿蝇的嗡嗡声戛然而止,像是被清场了一样。它们再次被震晕。

大乔再次忙着吐出不小心吞进嘴里的绿蝇。

我捡起地上的冷冻射线枪,把它对准慕斯卡。慕斯卡也被我的静电流震倒在地,他举起手臂,示意投降。谨慎如我,知道不能掉以轻心。

没错。

开枪吧……

咔嗒!

冷冻射线枪居然在这个节骨眼儿上出故障!它再也发不出冷冻射线来了!

慕斯卡一跃而起,向我猛扑过来。我无法起飞,静电也完全消耗,手腕上的电量显示器清晰说明了这一点。除了胸甲,我没有任何防护!

哐当!哐当!

对了!我的手擦过披风,从内口袋里掏出——苍蝇拍!当我把苍蝇拍高高扬起,慕斯卡下意识停住脚步,用双臂护住自己。他发出一声奇怪的叫声,我想那是他惊恐的尖叫。

于是,我赶紧掏出粘蝇带,趁慕斯卡被吓得无法动弹时,用粘蝇带把他牢牢捆住,将其制服。

嗡嗡嗡,嗡嗡嗡。

与此同时,地上的绿蝇再次苏醒。

不过,它们不再受慕斯卡的控制。因为慕斯卡是靠扇动双翅、制造磁场来下达命令,此刻他被粘蝇带捆住,无法动弹。他再也别想控制"绿蝇云团"在公共集市上胡作非为了。

绿蝇立刻四散而去,消失不见了。

两名警察接管了慕斯卡。女警察向我祝贺,对我的英勇之举表示赞赏。

"干得漂亮,静电超人!"

"是**静电超人飞侠!**"我拍拍胸甲,又指着自己的纹章说。

哐当！哐当！

大乔吐得脸都绿了，跟着妈妈从我身边经过。我听见大乔的妈妈对他说：

"你陪我去一下水果店好吗，我的小乖宝？那里有好吃的点心……"

他朝我吐了吐舌头。

"不，妈妈，我刚刚已经吃得够多的了……"

说完，他又恶狠狠地瞪了我一眼。

"这都怪你，讨厌的'静电超人飞蛾'！"

我却满不在乎地回敬道：

"再见，小乖宝！"

他又吐出一只绿蝇。

没必要给慕斯卡戴手铐，因为我已经把他捆得够结实了。那条粘蝇带的质量还真不赖！两名警察押解着慕斯卡朝警车走去。

"我们得卸下他的面具，"男警察对女警察说，"看看他到底是何方神圣。"

女警察伸出手，抓住了慕斯卡的长鼻子。

她随即发出一声厌恶的惊叫！

慕斯卡根本就没有戴面具。

弗雷德说得没错。难怪他要递给我一只苍蝇拍。

慕斯卡,不过就是一只苍蝇。

一只大苍蝇!

仅此而已。

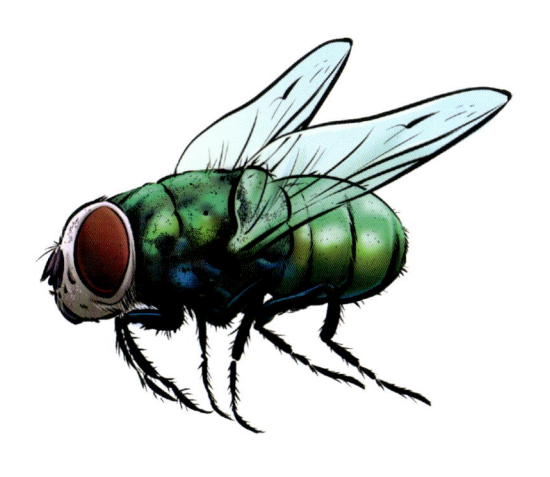

后 记

  我坐在床上，陷入沉思。慕斯卡的出现让我浮想联翩——他到底从何而来？还会有别的怪物出现吗？比如对蔬果不感兴趣，但特别会咬人的鹿蝇？又或是来自地心，专门害人的怪物？

  如果是这样，那它们可算是遇到劲敌了。

  我将旧超人服收进衣柜，打算把它送给我的头号粉丝弗雷德。

  时光不可倒流，我怎会弃用"飞翔"这项美妙的超能力，又怎会弃用我的胸甲呢？

  哐当！哐当！

  新一轮空中巡逻在等着我。

  每当有人看到我，就会大喊：

  "你们快看天上！"

  "是鸟！"

  "是飞机！"

  "是**静电超人飞侠**！"